Mes petites douceurs au Nutella

Delphine Gaston

Tableau des symboles :

Temps de préparation

Temps de cuisson

Temps de repos

Nombre de personnes

© IDEO 2011, un département
de City Editions
Photo de couverture et photos intérieures :
Studio city & Shutterstock

ISBN : 978-2-35288-798-0
Code Hachette : 50 85 31 1

Rayon : Cuisine
Catalogue et manuscrits :
www.city-editions.com

Dépôt légal : troisième trimestre 2011
Imprimé dans la C.E.E.

SOMMAIRE

Muffin citron au cœur de Nutella saupoudré de pavot

🕐 20 min   🥄 20 min   ✂ 12 muffins

75 g de sucre

100 g de crème fraîche entière

50 g de beurre

1 œuf

Des graines de pavot

1 citron

125 g de farine

1 sachet de levure

1 pot de Nutella

1. Mélangez l'œuf, le sucre, le beurre très ramolli, la crème, un peu de zeste du citron, le jus du citron.

2. Ajoutez 1 cuillère à soupe de graines de pavot, la levure, la farine et une pincée de sel.

3. Remplissez aux deux tiers des moules à muffins en silicone.

4. Ajoutez 1 cuillère à soupe de Nutella et saupoudrez d'un peu de graines de pavot.

5. Faites cuire au four 20 minutes à 180 °C (th. 6).

Brownie Nut-Nut

🕐 15 min ⟋ 20 min ✗ 6 personnes

Un peu moins d'un pot
de 400 g de Nutella

4 œufs

50 g de noix
de pécan

300 g de farine

2 sachets de levure
chimique

2 sachets de sucre
vanillé

1. Faites ramollir au bain-marie le Nutella.
   Mélangez les jaunes d'œufs et le sucre.
   Montez les blancs en neige.

2. Mélangez l'ensemble en ajoutant les quelques
   noix de pécan concassées à la main.
   Si vous peinez un peu à touiller, détendez
   avec une petite quantité de lait.

3. Mettez du papier sulfurisé au fond de votre moule
   rectangulaire (25 x 18 centimètres).

4. Faites cuire à 180 °C (th. 6) pendant 20 minutes.
   Il est meilleur avec un cœur fondant.
   Plantez votre couteau au milieu pour vérifier
   qu'il n'est quand même pas trop cru.

5. Au besoin, ajoutez 5 minutes de cuisson.
   Et revérifiez !

Crème au Nutella

⏱ 10 min 　 ⧗ 4 h 　 ✕ 8 personnes

200 g de Nutella

3 jaunes d'œufs

125 g de crème
fraîche liquide entière

25 cl de lait entier

25 g de sucre
en poudre

1. Faites blanchir le mélange
   jaunes d'œufs-sucre.

2. Dans une casserole, faites chauffer
   le lait et la crème jusqu'à frémissement.
   Ajoutez le Nutella.

3. Réunissez ces 2 préparations dans la casserole
   et attendez à nouveau le frémissement.

4. Versez la crème dans des coupelles
   individuelles et placez au réfrigérateur
   un minimum de 4 heures.

5. Servez frais.

Fondue au Nutella

🕐 30 min   🍴 10 personnes

2 bananes

2 kiwis

1 granny smith

1 grappe de raisin

1 poire

1 orange

10 physalis

Une vingtaine de
fraises
et de cerises

20 cl de crème fraîche

300 g de Nutella

1 paquet de
Chamallows

1. Lavez les fruits, épluchez-les et coupez-les
   (ne faites pas des morceaux trop petits).

2. Conservez-les au réfrigérateur.

3. Avant de servir, faites fondre au bain-marie
   le Nutella et la crème fraîche. Remuez
   pour obtenir un résultat bien fluide.

4. Munissez vos invités de piques à brochettes
   et que chacun trempe les bouts de fruits
   qu'il veut dans la fondue !

5. Accompagnez votre délicieuse
   fondue de Chamallows.

Gâteau marbré au Nutella

🕐 15 min   🥄 35 min   ✗ 8 personnes

200 g de Nutella

300 g de farine

100 g de beurre

100 g de sucre

4 œufs

1 sachet de levure chimique

1. Mélangez le sucre et les œufs. Ajoutez le beurre fondu, puis la farine et la levure.

2. Partagez cette préparation en 2 parties égales et incorporez le Nutella tiédi au bain-marie à l'une d'entre elles.

3. Dans le moule à cake (beurré et recouvert de sucre), versez en même temps les 2 pâtes sans les mélanger, en formant des arabesques.

4. Faites cuire 35 minutes à 180 °C (th. 6).

5. Le gâteau doit avoir refroidi avant d'être démoulé.

Nutella maison : le Nutta-Zen

🕐 10 min   ✕ 6-7 pots

700 g de chocolat
(mélange de noir, lait,
noisettes – ou 400 g
de chocolat au lait et
300 g de chocolat
aux noisettes pilées)

500 g de beurre
de baratte

1 grande boîte de lait
concentré sucré

1. Coupez le chocolat que vous avez choisi
   en petits morceaux.

2. Ajoutez le beurre, le sucre et le lait.

3. Faites cuire à feu très doux jusqu'à obtention
   d'un liquide homogène (le beurre ne doit pas
   fondre plus vite que le chocolat) et versez aussitôt
   dans les pots pour la phase de durcissement.

4. Vous pouvez conserver votre préparation
   au réfrigérateur 15 jours au maximum.

Profiteroles tout Nutella

⏱ 1 h   ✏ 30 min   ✂ 30 chous

Pour la pâte à choux au chocolat :

80 g de farine

40 g de beurre

2 œufs

125 ml d'eau

10 g de sucre

10 g de cacao en poudre

Pour la crème glacée au Nutella :

1 petit pot de Nutella

4 œufs

20 cl de crème liquide entière

30 g de sucre

Pour le fudge au Nutella :

1 boîte de 80 g de lait concentré non sucré

100 g de Nutella

1. Préparez la **pâte à choux** : dans une casserole, faites fondre le beurre, ajoutez le sucre et 1 pincée de sel. Versez l'eau et portez à ébullition. Retirez du feu et incorporez la farine et le cacao.

2. Remettez à chauffer, sans cesser de battre le mélange jusqu'à ce que la pâte s'assèche et forme une boule qui se décolle du fond. Attendez que le mélange soit tiède et ajoutez les œufs un à un. Recouvrez la plaque du four d'une feuille de papier sulfurisé. Faites de petits tas de pâte bien espacés. Faites cuire au four 30 minutes à 180 °C (th. 6). Surtout, surveillez soigneusement !

3. Préparez la **glace au Nutella** : faites chauffer la crème et le sucre dans une casserole. Incorporez le Nutella jusqu'à obtenir un mélange bien lisse. Ajoutez les œufs un à un. Laissez refroidir, puis versez la préparation dans une sorbetière en suivant les instructions de votre appareil.

4. Au moment de servir, préparez **le fudge** en mélangeant au bain-marie le lait concentré et le Nutella. Fourrez les choux de glace au Nutella et nappez de coulis.

Nutella viennois

🕐 20 min   ✕ 4 personnes

50 cl de lait

100 g de Nutella

1 jaune d'œuf

10 cl de crème
fleurette

1 c. s. de sucre
glace

1. Placez les fouets du batteur ainsi que le bol
   et la crème fleurette au réfrigérateur.

2. Quand ils sont bien froids, montez la chantilly
   en battant la crème et en incorporant
   progressivement le sucre glace.
   Une fois la chantilly montée, gardez-la au frais.

3. Dans une casserole, mélangez le lait
   et le Nutella jusqu'à obtenir
   une préparation bien lisse et chaude.

4. Incorporez le jaune d'œuf battu afin
   d'épaissir la préparation au chocolat
   chaud : fouettez énergiquement.

5. Versez dans une tasse et recouvrez d'une
   bonne louche de crème Chantilly.

Bouchées de Nutella
aux noisettes caramélisées

⏱ 20 min   ⏳ 6 h   🍳 25 min   ✕ 6 personnes

100 g de chocolat
noir

2 blancs d'œufs

100 g de Nutella

50 g de noisettes
entières

25 g de sucre

1 noisette
de beurre

1. La veille, faites fondre le chocolat noir,
   badigeonnez-en l'intérieur de caissettes
   à muffins en papier, puis gardez-les au frais.
   Mettez les noisettes au four à 160 °C (th. 5)
   pendant 15 minutes environ, puis frottez-les
   dans un torchon pour retirer la peau.

2. Concassez-les grossièrement et mettez le sucre
   avec 1 petite cuillère d'eau dans une casserole.
   Faites chauffer le sucre à feu moyen 5 minutes et,
   une fois à 115 °C, jetez-y les noisettes. Laissez-les
   caraméliser sur feu moyen, puis versez le tout sur
   une feuille de papier sulfurisé en les séparant
   pendant qu'elles refroidissent.

3. Montez les blancs d'œufs en neige ferme et
   incorporez-y le Nutella. Si le Nutella est trop dur,
   placez-le dans un bol au bain-marie le temps
   de bien le ramollir, puis incorporez-le aux blancs.

4. Retirez délicatement le papier des caissettes
   en chocolat, mettez la mousse dans les coupelles,
   parsemez de noisettes et gardez au frais
   pendant 6 heures au moins.

Gâteau marbré Galak et Nutella

🕒 20 min   🍴 40 min   ✕ 6 personnes

3 œufs

100 g de beurre

100 g de sucre

200 g de farine

½ sachet de levure chimique

2 c. s. de lait

100 g de Galak

3 c. s. de Nutella bien mou

1. Préchauffez le four à 180 °C (th. 6) et beurrez un moule à gâteau. Faites fondre le Galak au bain-marie.

2. Faites doucement fondre le beurre, séparez le blanc des jaunes d'œufs et fouettez les jaunes avec le sucre.

3. Ajoutez le beurre en mélangeant, puis la farine tamisée avec la levure et le lait.

4. Montez les blancs en neige, incorporez-les délicatement à la préparation, puis séparez la pâte dans 2 saladiers.

5. Ajoutez le Galak à une moitié et le Nutella à l'autre, versez les 2 pâtes en les alternant dans le moule et faites cuire pendant 30 à 40 minutes.

Fondant au Nutella

🕐 15 min   ⧗ 6 h   ✐ 10 min   ✕ 6 personnes

200 g de Nutella

50 g de beurre

80 g de sucre

50 g de farine

4 œufs

1. Faites fondre le Nutella avec le beurre.

2. Mélangez la farine avec les œufs,
   puis ajoutez le sucre et le chocolat.

3. Beurrez 6 ramequins et répartissez la pâte.
   Couvrez d'un film alimentaire et mettez
   au frais pendant 6 heures au moins.

4. Faites cuire dans le four préchauffé
   à 180 °C (th. 6) pendant 10 minutes
   environ. Le centre doit rester liquide.

5. Démoulez avec douceur. Pour que ce soit
   encore meilleur, vous pouvez ajouter
   un nappage à votre goût.

Whoopies au Nutella

🕐 30 min   ⏳ 2 h   🍴 5 min   ✕ 12 gros whoopies

200 g de farine

1 œuf

55 g de cacao
non sucré

1 c. c. de levure
chimique

½ c. c. de sel

100 g de beurre mou

200 g de sucre

1 yaourt nature

Pour la crème :

10 cl de crème
fleurette

50 g de Nutella

1 c. c. de miel

1. Préchauffez le four à 200 °C (th. 7).
   Mettez le beurre et le sucre dans un saladier,
   battez-les au batteur électrique ou au fouet
   jusqu'à ce que le mélange soit crémeux.

2. Ajoutez alors l'œuf et le yaourt toujours en
   fouettant. Tamisez la farine avec la levure, le sel
   et le cacao, puis incorporez-les à la préparation.

3. Étalez la pâte sur un plan bien fariné, découpez
   des biscuits à l'emporte-pièce et faites-les cuire
   5 minutes sur du papier sulfurisé. Pendant que les
   gâteaux refroidissent, versez la crème dans un
   bol et mettez-la au bain-marie avec le miel et le
   Nutella, jusqu'à ce que tout soit bien mélangé.
   Placez au réfrigérateur pendant 2 heures.

4. Fouettez la crème jusqu'à ce qu'elle foisonne bien.
   Mettez-la dans une poche à douille et garnissez
   la moitié des biscuits.
   Recouvrez-les d'un autre biscuit et mettez au frais.

Cake au nutella

🕐 15 min   🥄 40 min   ✕ 4 personnes

140 g de Nutella

3 œufs

140 g sucre

150 g farine
à levure incorporée

140 g beurre fondu

100 g de pralin

1. Passez le Nutella quelques secondes
   au micro-ondes pour le faire
   fondre légèrement.

2. Tamisez la farine dans un saladier,
   ajoutez les œufs un à un, le sucre
   et le beurre fondu en remuant.

3. Ajoutez le Nutella, puis le pralin
   en mélangeant bien.

4. Versez la préparation dans un moule à cake
   beurré et fariné (s'il n'est pas en silicone)
   et placez au four 40 minutes à 180 °C (th. 6).

Tuiles craquantes au Nutella

🕐 10 min   ⧖ 1 h   🥄 12 min   ✕ 6 personnes

70 g de noisettes

50 g de beurre

50 g de sucre glace

20 g de farine

1 œuf

110 g de Nutella

1. Faites torréfier les noisettes au four préchauffé à 150 °C (th. 5) pendant 10 à 15 minutes.

2. Ôtez la peau en les frottant dans un torchon et concassez-les à l'aide d'un rouleau à pâtisserie.

3. Tamisez la farine et le sucre glace, ajoutez l'œuf, le Nutella et le beurre fondu. Mélangez bien.

4. Laissez reposer 1 heure au réfrigérateur.

5. Déposez 1 cuillère à café de pâte sur une plaque recouverte de papier sulfurisé et aplatir pour former un disque de 7 centimètres de diamètre environ. Saupoudrez de morceaux de noisettes.

6. Laissez reposer 20 minutes au frais et enfournez à 150°C (th. 5) pendant 10 à 12 minutes environ. Décollez les tuiles de la plaque quelques minutes après les avoir sorties du four.

Milkshake Nutella-banane

🕐 4 min   ✕ 4 personnes

2 bananes

4 c. s. de Nutella

4 verres de lait demi-écrémé

Glace pilée

1. Coupez des rondelles de banane.

2. Placez dans le mixeur le lait, le Nutella, les bananes, la glace.

3. Mixez, versez dans de grands verres et dégustez à la paille !

4. Ajoutez une boule de glace vanille dans le shake pour encore plus de fraîcheur !

Donuts au Nutella

🕐 1 h   ⌛ 2 h   🍴 1 h   ✕ 6 personnes

Pour la pâte à beignets :

250 ml de lait

60 g de beurre

70 g de sucre
en poudre

2 pincées de sel

1 sachet de levure

2 œufs

500 g de farine

Pour le glaçage au Nutella :

200 g de Nutella

80 g de beurre

160 g de sucre glace

4 c. s. d'eau

1. Préparez les donuts : faites chauffer le lait avec le beurre. Ajoutez le sel et le sucre. Laissez refroidir. Tout en continuant à mélanger, incorporez les œufs un à un, puis la farine et la levure. Vous devez obtenir une pâte collante que vous travaillez 5 minutes. Déposez un torchon sur le dessus de la casserole et laissez lever 1 heure 30.

2. Avec les mains farinées, faites de petites boules de pâte que vous aplatissez sur le plan de travail également fariné. Au milieu, faites un trou à l'emporte-pièce ou avec un petit verre.Laissez encore reposer 30 minutes sous le torchon sur le plan de travail fariné. Faites chauffer de l'huile pour la friture et faites frire les donuts 30 secondes à 1 minute de chaque côté.

3. Déposez sur du papier absorbant après cuisson. Laissez refroidir. Préparez le glaçage au Nutella : dans une casserole, faites fondre (à feu très doux), le beurre, le Nutella ; incorporez le sucre glace avec l'eau. Laissez refroidir quelques minutes sans attendre que ça fige complètement. Disposez les donuts sur le plat de service et étalez le glaçage en essayant d'être le plus régulier possible. Saupoudrez de vermicelles de couleur.

Médaillons au Nutella

⏱ 10 min　　🍴 30 min　　✂ 6 personnes

1 pâte brisée

1 pot de Nutella

1. Disposez la pâte dans des moules individuels.

2. Faites cuire à blanc avec des billes de cuisson 30 minutes à 180 °C (th. 6).

3. Laissez refroidir et démoulez.

4. Garnissez de Nutella.

5. Si vous désirez que cette recette soit plus élaborée, vous pouvez mélanger au Nutella des raisins secs macérés dans du Cointreau.

Roses des sables au Nutella

🕐 15 min   ⧗ 1 h   ✕ 6 personnes

200 g de corn-flakes

100 g de Nutella

100 g de chocolat noir

75 g de beurre

50 g de sucre glace

1. Recouvrez le plan de travail d'une feuille de papier sulfurisé.

2. Au bain-marie, mélangez le Nutella et le beurre. Hors du feu, ajoutez le sucre glace.

3. Dans un bol, incorporez cette préparation aux corn-flakes, très délicatement.

4. Formez des roses des sables à l'aide d'une cuillère à soupe, que vous déposez sur le papier sulfurisé.

5. Laissez prendre au moins 1 heure avant de servir.

Éclairs au Nutella

🕐 1 h   🥄 30 min   ✕ 4 personnes

Pour la pâte à choux :

80 g de farine

40 g de beurre

2 œufs

125 ml d'eau

10 g de sucre

Pour la crème pâtissière au Nutella :

25 cl de lait

2 jaunes d'œufs

50 g de sucre

25 g de maïzena

200 g de Nutella

Pour le glaçage au fondant au Nutella :

100 g de Nutella

80 g de sucre glace

2 c. s. d'eau

1. Préparez la **pâte à choux** : dans une casserole, faites fondre le beurre, ajoutez le sucre et 1 pincée de sel. Versez l'eau et portez à ébullition. Retirez du feu et incorporez la farine.

2. Remettez à chauffer, sans cesser de battre le mélange, jusqu'à ce que la pâte s'assèche et forme une boule qui se décolle du fond. Attendez que la préparation soit tiède et ajoutez les œufs un à un. Recouvrez la plaque du four d'une feuille de papier sulfurisé. Dressez la pâte en forme d'éclairs à l'aide d'une poche à douille. Faites cuire au four 30 minutes à 180 °C (th. 6). Surtout, surveillez ! Préparez la crème pâtissière : faites bouillir le lait.

3. Préparez **la crème** : dans un bol, mélangez les œufs et le sucre jusqu'à ce que la préparation blanchisse, puis ajoutez la maïzena. Versez le lait encore chaud sans cesser de fouetter. Remettez le tout dans la casserole. Portez à ébullition et laissez bouillir une minute tout en continuant à fouetter. En fin de cuisson, incorporez le Nutella tiédi au bain-marie.

4. Versez la crème pâtissière dans une poche à douille et remplissez les éclairs par un petit trou pratiqué à l'une des extrémités. Préparez **le fondant** : dans une casserole, faites fondre (à feu très doux) le Nutella, le sucre glace et l'eau en mélangeant. Laissez refroidir quelques minutes. Étalez-le sur le dessus des éclairs.

Macarons au Nutella

🕐 45 min · 🥄 10 min · ✕ 4 personnes

1 petit pot de Nutella

120 g sucre glace

60 g de poudre
d'amandes

2 blancs d'œufs

100 g de crème
fraîche épaisse

1. Préparez les biscuits : mélangez
   les deux tiers du sucre glace, la poudre
   d'amandes et 100 grammes de Nutella.

2. Battez les blancs en neige très ferme et ajoutez
   le reste du sucre à mi-parcours. Réunissez les
   2 préparations. Recouvrez la plaque du four
   de papier sulfurisé légèrement beurré.

3. Déposez de petits tas de pâte en veillant
   à bien les espacer. Faites cuire 10 minutes
   à 180 °C (th. 6).

4. Décollez les macarons encore tièdes
   et laissez-les refroidir.

5. Préparez la **ganache au Nutella** :
   faites chauffer la crème, ajoutez
   le reste du Nutella et laissez refroidir.

6. Tartinez la ganache sur une moitié de biscuit
   et collez-en une seconde par-dessus.

Crèmes de yaourt au Nutella

🕐 10 min   🥄 10 h   ✕ 8 personnes

1 litre de lait entier

1 yaourt nature

6 c. s. de Nutella

3 c. s. de lait
en poudre

1. Faites chauffer le lait dans une casserole
   (sans le faire bouillir) et ajoutez le Nutella.
   Mélangez jusqu'à obtenir un liquide
   homogène.

2. Laissez refroidir.

3. Incorporez le yaourt et le lait en poudre.
   Mélangez bien.

4. Versez dans les pots de la yaourtière
   et laissez-la en marche au moins 10 heures.

5. Placez au réfrigérateur quelques heures
   avant de déguster.

Cupcakes Nutella

🕐 30 min · 20 min · ✕ 6 personnes

Pour le muffin :

100 g de farine
20 g de cacao
100 g de sucre
1 paquet de levure
30 g de beurre
120 ml de lait
1 œuf
100 g de Nutella

Pour le glaçage :

250 g de sucre glace
80 g de beurre
25 ml de lait
100 g de Nutella
Quelques noisettes
concassées

1. Mélangez la farine, le cacao, la levure et le beurre très mou. Ajoutez une pincée de sel.

2. Incorporez le lait, le jaune d'œuf, puis le blanc monté en neige. Terminez par le Nutella et veillez à ce que le mélange soit bien homogène.

3. Versez cette pâte dans des caissettes à muffins et enfournez 20 minutes environ à 200 °C (th. 7).

4. Préparez le glaçage : battez le sucre glace et le beurre. Ajoutez le lait. Mélangez bien pour aérer la crème au maximum. Incorporez le Nutella.

5. Une fois les muffins refroidis, nappez-les du glaçage à l'aide d'une poche à douille cannelée. Décorez de noisettes concassées grossièrement.

Linzertorte au Nutella

🕐 45 min   🍴 40 min   ✕ 6 personnes

180 g de farine

180 g de poudre
d'amandes

180 g de beurre

120 g de sucre
en poudre

1 œuf

1 jaune d'œuf

½ cuillère à café rase
de cannelle

150 g de confiture
de framboises

150 g de Nutella

1. Mélangez le beurre ramolli, mais non fondu
   avec le sucre. Incorporez l'œuf, la cannelle,
   la farine et la poudre d'amandes.

2. Malaxez la pâte à la main et laissez-la,
   en boule, reposer 30 minutes au réfrigérateur
   recouverte d'un film plastique.

3. Étalez les trois quarts de la pâte et garnissez
   le moule à tarte. Tapissez de confiture
   de framboises. Déposez par-dessus
   le Nutella en formant des croisillons.

4. Étalez le reste de pâte et découpez des
   bandelettes dentelées à l'aide d'une roulette.
   Disposez-les par-dessus les croisillons de Nutella.

5. Badigeonnez ces croisillons de pâte
   de jaune d'œuf avec un pinceau.
   Faites cuire au four 40 minutes à 200 °C (th. 7).

Crème brûlée à la catalane Nutella-mandarines

🕐 30 min   ⏳ 30min + 2 h   🥄 45 min   🍽 4 personnes

150 g de Nutella

4 c. s. de crème liquide

40 cl de crème fraîche

6 jaunes d'œufs

60 g de sucre

2 mandarines

Cassonade

1. Râpez (très fin) la peau d'une mandarine pour obtenir un peu de zeste. Pressez le jus des 2 mandarines. Dans une casserole, à feu doux, mélangez le Nutella, la crème liquide, le jus des mandarines. Versez cette préparation dans les moules à crème brûlée. Placez-les 30 minutes au congélateur.

2. Dans un nouveau bol, fouettez les jaunes d'œufs avec le sucre en poudre. Ajoutez 40 centilitres de crème fraîche et les zestes de mandarine.

3. Sortez les moules du congélateur et versez la préparation sur le Nutella durci. Placez les moules au bain-marie et faites cuire au four 45 minutes à 120 °C (th. 4). Surtout, surveillez bien ! Conservez au réfrigérateur.

4. Au moment de servir, saupoudrez les crèmes de cassonade et caramélisez au chalumeau (ou sous le gril du four).

Œufs de Pâques au Nutella

🕐 45 min 🥄 45 min ✕ 6 personnes

200 g de chocolat blanc

300 g de Nutella

125 g de pralin

3 c. s. de sucre glace

1. Faites fondre le chocolat blanc au bain-marie et, en commençant par le centre et en remontant vers les bords, enduisez les 12 cavités d'un moule siliconé.

2. Laissez refroidir, puis faites durcir au réfrigérateur pendant environ 45 minutes. Préparez le praliné au Nutella : mixez le pralin jusqu'à obtention d'une fine poudre. Mélangez avec le Nutella tiédi au bain-marie et ajoutez le sucre glace.

3. Laissez refroidir cette pâte. Démoulez délicatement les demi-œufs en tordant légèrement le moule. Remplissez aux trois quarts les moitiés d'œufs avec le praliné.

4. Chauffez délicatement les bords des œufs avec une allumette, par exemple, et collez rapidement les 2 moitiés en lissant la jointure avec le doigt.

Marquise au Nutella

🕐 15 min   🍴 1h20 min   ✕ 8 personnes

4 œufs

250 g de Nutella

150 g de sucre

150 g de beurre

90 g de farine

Café

1. Faites tiédir le Nutella avec du café, ajoutez le beurre et lissez bien la préparation.

2. Incorporez les jaunes d'œufs battus avec le sucre, puis la farine.

3. Montez les blancs en neige très ferme avec une pincée de sel. Mélangez-les délicatement à la préparation.

4. Faites cuire au bain-marie 1 heure 20 à 180 °C (th. 6) dans un moule à cake recouvert de papier d'aluminium.

Madeleines de Carambar fourrées au Nutella

🕐 20 min   🥄 15 min   ✕ 6 personnes

24 Carambar

1 sachet de sucre vanillé

80 g de beurre salé

150 g de farine

50 g de sucre

10 cl de lait

2 œufs

1 sachet de levure

1 pot de Nutella

1. Dans une casserole, faites fondre les Carambar dans le lait. Battez les œufs et le sucre jusqu'à ce que le mélange blanchisse.

2. Ajoutez la farine, le sucre vanillé et la levure au mélange.

3. Réunissez ces 2 préparations, ajoutez le lait au caramel et le beurre fondu.

4. Versez la pâte dans des moules à madeleines en silicone (si vous n'utilisez pas des moules souples, beurrez bien les plaques). Ajoutez 1 cuillère de Nutella dans chaque alvéole.

5. Faites cuire à 180 °C (th. 6) pendant 15 à 20 minutes. Surveillez soigneusement !

Roulé au Nutella

🕐 15 min   10 min   ✕ 8 personnes

4 œufs

1 c. s. de sucre glace

100 g de farine

50 g de beurre

5 cl de lait

150 g de sucre
en poudre

1 c. s. de cacao
en poudre

1 petit pot de Nutella

½ paquet de noisettes
hachées

1. Montez les blancs en neige ferme
   avec le sucre glace.

2. Mélangez le sucre, le cacao et la farine, les
   jaunes, le beurre fondu, le lait et les blancs.

3. Étalez la préparation (en rectangle)
   sur une feuille de papier sulfurisé posée
   sur la plaque à pâtisserie de votre four.

4. Faites cuire 10 minutes à 180 °C (th. 6).
   Posez la génoise (toujours sur son papier)
   sur un torchon mouillé.

5. Mélangez le Nutella chauffé au bain-marie
   avec les noisettes. Tartinez généreusement.

6. Roulez par le plus petit côté. Le papier
   se décolle au fur et à mesure.

Flamby au Nutella

🕐 15 min   ⏳ 4 h   ✕ 4 personnes

½ litre de lait

150 g de Nutella

2 c. s. de sucre

2 g d'agar-agar

Caramel liquide

1. Dans une casserole, portez le lait, le sucre et l'agar-agar à ébullition. Laissez cuire 3 minutes à petit feu.

2. Incorporez le Nutella. Mélangez soigneusement.

3. Versez le caramel liquide au fond d'un moule à charlotte.

4. Remplissez-le ensuite de la préparation encore chaude.

5. Laissez refroidir, puis conservez 4 heures au réfrigérateur.

6. Démoulez au moment de servir.

Cookies au Nutella et noix

🕐 15 min ✏️ 12 min ✕ 12 cookies

80 g de beurre

80 g de sucre

1 sachet de sucre vanillé

150 g de farine

1 sachet de levure

1 œuf

50 g de Nutella

1 sachet de cerneaux de noix

1. Travaillez le beurre très mou avec les sucres.

2. Ajoutez l'œuf, la farine et la levure sans jamais cesser de fouetter. Une fois que la préparation est bien lisse, incorporez le Nutella.

3. Recouvrez la plaque du four d'une feuille de papier sulfurisé.

4. À l'aide d'une cuillère à soupe, faites de petits tas de pâte (légèrement aplatis), en veillant à ce qu'ils soient bien espacés.

5. Faites cuire au four 12 minutes à 200 °C (th. 7).

6. À mi-cuisson, déposez sur le dessus de chaque cookie les noix grossièrement coupées.